Rindert Kromhout

Lui Lei Enzo

tekeningen van Jan Jutte

Zwijsen

Sterlogo en schutbladen: Georgien Overwater
Vormgeving: Rob Galema (Studio Zwijsen)

7001 571927 X

STICHTING NEDERLANDSE
KINDERJURY
1994

AVI 3

3 4 5 / 02 01 00 99 98

ISBN 90.276.2925.0
NUGI 260/220

© 1993 Tekst: Rindert Kromhout
Illustraties: Jan Jutte
Uitgeverij Zwijsen Algemeen B.V. Tilburg

Voor België:
Uitgeverij Infoboek N.V. Meerhout
D/1993/1919/89

1. Lui

Daar loopt Enzo door zijn stad.
Hij steekt een plein over.
Daarna gaat hij een steeg door.
Zo komt hij bij een kanaal.
Aan het water staan huizen.
Over het water ligt een brug.
In het water dobbert een roeiboot.
Die boot is van Enzo.
Bijna elke dag maakt hij een tochtje.
Dan vaart hij door de stad.
Soms alleen en soms met zijn vrienden.
Hij heeft er zin in vandaag.
Het is mooi weer.
Enzo gooit zijn jas in de boot.
Daarna stapt hij zelf in.
Hij maakt het touw los en...

3

„Hallo daar!" roept iemand.
„Zeg jongen, kom eens hier!"
Enzo kijkt op.
Onder de brug zit een dikke man.
Hij zit daar in de schaduw.

Daarom zag Enzo hem eerst niet.
Hij stapt uit zijn boot en vraagt:
„Wie bent u?"
„Lui," zegt de man.
„Lui, bent u lui?"
„Nee, ik bén niet lui.
Ik héét Lui."

De man zucht diep.
Naast hem staan drie lege flessen.
„Waarom zit u hier?" vraagt Enzo.
„Waarom niet?" zegt Lui.
„Zit u hier al lang?"
„Al een maand lang, dag en nacht."
„Een máánd?" vraagt Enzo.
„Staat u nooit op?
Gaat u nooit een eindje lopen?"
„Opstaan? Lopen?"
Lui kijkt Enzo geschokt aan.
„Luister," zegt hij.
„Wil je wat voor me doen?"

5

„Wil je een taart voor me gaan kopen?
En breng ook maar een fles wijn mee.
Hier heb je geld."
Enzo kijkt naar zijn boot.
Hij heeft geen zin om een boodschap te doen.
„Waarom doet u het zelf niet?" vraagt hij.
„Daar ben ik te moe voor," zegt Lui.
„Te moe?" vraagt Enzo.
„En u zit hier gewoon.
Daar word je toch niet moe van?"
„Toe zeg!" roept Lui uit.
„Ik heb al drie taarten op vandaag.
Dat is een heel werk hoor.
Ik kan echt geen stap meer doen."
Enzo kijkt Lui aan.
Ach, hij zit hier zo alleen.
En hij heeft geen huis...
Vooruit dan maar.

6

2. Lei

Enzo steekt het plein weer over.
Achter dat plein is een smalle straat.
In die straat is een w...
„Hoehoe, is daar iemand?"
Enzo blijft staan.
Wat hoort hij daar?
„Hoehoe, ik ben hier!"
Die put daar op het plein!
Zit er iemand in die put?
Enzo buigt zich over de rand.
De put is niet erg diep.
Er zit een dikke vrouw in.
Om haar heen ligt rommel.
Proppen papier en lege zakken.
Wie is dat?
Wat doet ze daar?
„Ik heet Lei!" roept de vrouw omhoog.
„En ik heb honger.
Wil je wat voor me doen?
Koop een zak koekjes voor me."
„Wat doet u in die put?" vraagt Enzo.
„Zit u klem?"
„Welnee, ik zit niet klem," zegt Lei.
„Ik zit lekker.
Ik zit hier al de hele week."

„Vindt u dat leuk?" vraagt Enzo.

„Ach, ik ben wel een beetje eenzaam," zegt Lei.

„Niemand komt langs voor een praatje."

„Kom er dan uit," zegt Enzo.

„Daar ben ik te moe voor," zegt Lei.

„Ook al!" denkt Enzo.

Hij vertelt haar over de man onder de brug.

Blij kijkt Lei hem aan.

„Een dikke man onder een brug?"

„Ja," zegt Enzo.

„Hij zit daar en..."

„Wacht even," zegt Lei.

„Vertel straks maar.

Eerst moet je koekjes kopen.

Ik sterf van de honger."

3. Koekjes en wijn

„Hier hebt u de koekjes."

„Mooi," zegt Lei.

Meteen stopt ze zes koekjes in haar mond.

„Blijf je bij me?" vraagt ze.

„Nee, ik moet naar Lui," zegt Enzo.

„Ik heb taart en wijn voor hem."

„O ja, die dikke man," zegt Lei.

„Ziet hij er leuk uit?"

„Gaat wel," zegt Enzo.

„Heeft hij een lekker bolle toet?" vraagt Lei.

„Ja," zegt Enzo.

„En lekker dikke benen?"

„Ja, ook."

„En lekker dikke armen?"

„Alles aan hem is dik," zegt Enzo.

„Zalig!" roept Lei uit.

„Hier, geef hem maar een paar koekjes.

En doe hem de groeten van me."

„Ga met me mee," zegt Enzo.

„Dan kunt u hem zelf zien."

Lei schudt haar hoofd.

„Kon dat maar," zucht ze.

„Was ik maar niet zo moe."

Ze propt haar mond weer vol koekjes
en zegt niets meer.

Enzo loopt verder.
In het water ligt nog steeds zijn boot.
Zo meteen zal hij gaan varen.
Wat heeft hij er zin in!

„Ah, daar ben je!" zegt Lui.
Enzo geeft hem de taart en de wijn.
„Mooi zo," zegt Lui.
„En van wie zijn die koekjes?"
„Van Lei," zegt Enzo.
Hij vertelt over de dikke vrouw.
Blij kijkt Lui hem aan.
„Ik ben dol op dikke vrouwen.
Heeft ze lekker bolle wangen?"
„Ja," zegt Enzo.
„En lekker dikke billen?"
„Vast wel," zegt Enzo.
„Hmmmm!" roept Lui blij uit.
„Breng haar maar een glas wijn."
Maar daar voelt Enzo niet voor.
„Moet ik alweer een boodschap doen?
Ga zelf naar haar toe."
„Ach," zegt Lui.
„Ik zou wel willen.
Maar eh... mijn arme benen.
Te oud en te moe.
En niemand die voor me zorgt."

Enzo kijkt hem aan.
„Vooruit dan maar," denkt hij.
Hij pakt het glas wijn aan.
„Ga maar gauw," zegt Lui.
„Zeg maar dat de koekjes lekker zijn."

4. Heen en weer

Dus daar gaat Enzo weer.
Hij zal Lei de wijn geven.
Maar daarna moet ze hem met rust laten.
Hij heeft er echt genoeg van.
Zijn boot wacht op hem!
Maar Lei zegt:
„Vindt Lui me leuk?"
„Ik geloof van wel," zegt Enzo.
„Maar nu moet ik weg."
„Ach jongen," zegt Lei.
„Wil je nog één keer iets voor me doen?"
„O nee, niet wéér!" denkt Enzo.
Maar het is al te laat.
Lei houdt een foto omhoog.
Het is een foto waar ze zelf op staat.
„Hier," zegt ze.
„Breng die maar naar Lui.
En vraag om nog een glas wijn."

Zo rent Enzo van de put naar de brug.
En daarna van de brug naar de put.
Steeds opnieuw.
Hij brengt de foto naar Lui.
En stukken taart naar Lei.
En telkens moet hij iets vragen.

15

Lei zegt:

„Zakt Lui ook zo graag door stoelen?”

Lui vraagt:

„Houdt Lei ook zo van slagroom?”

Ze vinden elkaar leuk.

Dat is fijn voor ze.

Waarom gaan ze niet naar elkaar toe?

Dan zijn ze niet meer alleen.

En dan kan Enzo gaan varen.

Maar ze doen geen stap.

„Daar zijn we veel te moe voor,” zeggen ze.

„Ga nog maar iets lekkers kopen.”

Toch laat Enzo ze niet in de steek.

Want verder hebben ze niemand.

Maar zo kan het niet langer.

Enzo moet hier iets aan doen.

Want anders komt hij hier nooit weg!

Maar wat kan hij doen?

16

5. Leugens

„Zeg Enzo?" vraagt Lei.
„Vindt Lui de foto leuk?
Vindt hij me mooi?"
„Nee, niet zo erg," zegt Enzo.
„Hij vindt u te dun.
Hij zei: ,Is dat Lei?
Die spriet, die dunne lat?' "
„Te dun?" roept Lei uit.
„Vindt hij me te dun?
Wel heb je ooit!"
Kwaad staat ze op.
„Hoe durft hij!

En hoe dik is hij dan zelf wel?"
„Nou," zegt Enzo, „hij is..."
„Laat maar," zegt Lei.
Zuchtend klimt ze uit haar put.
„Waar is die dikzak?"
Scheldend waggelt ze weg.

Gauw holt Enzo naar de brug.
Daar zit Lui op hem te wachten.
„Enzo, kom eens hier," zegt hij.
„Vertel eens.
Vond Lei de taart lekker?
En wat zei ze van de wijn?"

17

„Ze vond het niet genoeg," zegt Enzo.
„Ze zei: ‚Is dat alles wat ik krijg?
Wat is Lui gierig, zeg.'
Dat zei ze."
Boos staat Lui op.
„Zei ze dat?
Zei ze dat ik gierig ben?
Wat krijgen we nou?
Dat mens heeft de hele taart op!
Hoe durft ze?"
„Zal ik het gaan zeggen?" vraagt Enzo.
„Niks ervan!" zegt Lui.
„Dat doe ik zelf wel.
Waar is die vreetzak?"
Woedend loopt Lui weg.

6. Lui en Lei

Zo vinden Lui en Lei elkaar,
midden op de brug.
Lei snauwt: „Bent u Lui?
Zegt u dat ik te dun ben?"
„Hoe komt u erbij?" zegt Lui.
„En u? Bent u Lei?
Vindt u mij gierig?"
„Gierig?" vraagt Lei.
„Ik vond de taart juist lekker."
„Maar Enzo zegt..." begint Lui.
„Stop maar!" roept Enzo.
„Het is niet waar.

Ik verzon het maar."
„Is dat zo?" vragen Lui en Lei.
„Loog je tegen ons?"
„Ja," zegt Enzo.
„Maar wees niet boos.
Ik wou dat jullie elkaar zouden zien.
En ik wist niet hoe het anders moest.
Want jullie wilden geen stap doen."
Daar zijn Lui en Lei even stil van.
Ze kijken elkaar aan.
En ze kijken naar Enzo.

„Zeg eh, Lei...” zegt Lui.

„Ik vind het wel leuk dat ik u nu zie.”

„U bent nog mooier dan op de foto.”

Lei giechelt.

„En u bent zo lekker dik,” zegt ze.

Lui krijgt een kleur.

Weer zijn ze even stil.

Dan zegt Lei:

„Zeg, we staan hier al zo'n tijd.

Ik krijg er honger van.”

„Ik ook,” zegt Lui.

„Honger en dorst.

Zullen we iets gaan eten?

Ik weet een leuk eethuis.”

Lei geeft hem een arm.

Zo lopen ze samen weg.

Enzo blijft achter.

Ziezo, dat was dat.

Nu is hij weer alleen.

Of eh... alleen?

Nee hoor!

Want wat ligt daar in het water?

Zijn boot.

Zijn boot waar hij nu mee kan gaan varen.

Ster

Onder de naam *Ster* verschijnen zes series boeken voor beginnende lezers. De series klimmen op in moeilijkheidsgraad en sluiten aan op de series van *Maan-roos-vis*.

Maan-roos-vis is bestemd voor beginnende lezers in de eerste drie maanden van het leren lezen. Daarna kunnen de kinderen de eerste *Ster*-serie lezen. De opklimming in moeilijkheidsgraad is als volgt:

Ster serie 1: na ongeveer 4 maanden leesonderwijs
Ster serie 2: na ongeveer 5 maanden leesonderwijs
Ster serie 3: na ongeveer 6 maanden leesonderwijs
Ster serie 4: na ongeveer 7 maanden leesonderwijs
Ster serie 5: na ongeveer 8 maanden leesonderwijs
Ster serie 6: na ongeveer 9 maanden leesonderwijs

In *Ster* zijn tot nu toe verschenen:

Ster serie 1
1. Margriet Heymans: riet op de mat
2. Rindert Kromhout: hup naar huis
3. Joke van Leeuwen: niet wiet, wel nel
4. Elisabeth Marain: een huis voor een luis
5. Bart Moeyaert: de man in de maan
6. Hans Tellin: dip en zijn kip
7. Anke de Vries: juf, een koe voor de deur!
8. Truus van de Waarsenburg: kom kom, beer is niet dom